Deutsch

Urs Luger

Du findest mich nicht!
Fender ermittelt

SPANNENDER LERNKRIMI

Hueber Verlag

Einen kostenlosen MP3-Download zu diesem Titel finden Sie unter
www.hueber.de/audioservice.
© 2018 Hueber Verlag GmbH & Co. KG, München, Deutschland
Alle Rechte vorbehalten.
Sprecher: Crock Krumbiegel
Hörproduktion: Tonstudio Langer, 85375 Neufahrn bei Freising, Deutschland

3. 2. 1.   Die letzten Ziffern
2022 21 20 19 18   bezeichnen Zahl und Jahr des Druckes.
Alle Drucke dieser Auflage können, da unverändert,
nebeneinander benutzt werden.
1. Auflage
© 2018 Hueber Verlag GmbH & Co. KG, München, Deutschland
Umschlaggestaltung: Sieveking · Agentur für Kommunikation, München
Umschlagfoto: © Thinkstock/iStock/decisiveimages
Zeichnungen: Mascha Greune, München
Layout und Satz: Sieveking · Agentur für Kommunikation, München
Redaktion und Projektleitung: Anna Meißner-Probst, Hueber Verlag, München
Lektorat: Veronika Kirschstein, Lektorat und Projektmanagement, Gondelsheim
Druck und Bindung: Kessler Druck + Medien GmbH & Co. KG, Bobingen
Printed in Germany
ISBN 978–3–19–208580–2

Art. 530_25106_001_01

Inhalt

▶ Das Hörbuch zur Lektüre und die Tracks zu den Übungen stehen als kostenloser MP3-Download bereit unter: www.hueber.de/audioservice.

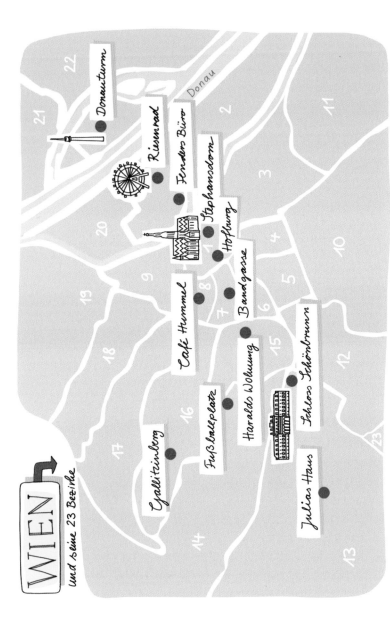

WIEN
und seine 23 Bezirke

Donauturm

Riesenrad

Fendors Büro

Stephansdom

Donau

Hofburg

Bandgasse

Café Hummel

Schloss Schönbrunn

Haralds Wohnung

Fußballplatz

Julias Haus

Gallitzinberg

22
21
2
11
3
20
4
10
9
5
19
6
18
7
8
15
12
16
17
23
14
13

Kapitel 1: Wer macht denn so etwas?

Ein Kaffee, ein Croissant mit Marmelade – frisch von der
Bäckerei ... Es ist Dienstagvormittag, 11 Uhr, und ich mache
eine kleine Pause. Ich sitze in der Sonne und frühstücke.
Das Leben ist schön!
Aber dann kommt die Post und ich bekomme diesen Brief:

> **Ich habe es getan!**
> Ich habe einen Menschen ermordet.
> Keiner hat mich gesehen, keiner gehört.
>
> Auch die Polizei weiß nichts.
>
> Und du, Fender? Bist du wirklich so gut?
> Schneller als die Polizei?
> Findest du mich?
>
> Viele Grüße, der Mörder

Was ist das? Soll das lustig sein?
Wer schreibt mir da? Wirklich ein Mörder?
Das kann ich nicht glauben.
Und warum ich? Warum schreibt er gerade mir?
Mein Kaffee wird langsam kalt. Auch mein Croissant
will ich nicht mehr essen.
Ich lese den Brief noch einmal. Aber ich finde nichts. Kein Name,
kein Datum, keine Antwort auf die Fragen „Wer?" und „Warum?".

---

ermorden,
der Mörder: → S. 11

wirklich: etwas
ist richtig

Ich denke an die Webseite für mein Detektivbüro:

Detektivbüro M.Fender –
Schneller als die Polizei …

- Brauchen Sie wichtige Informationen? → Fragen Sie Fender!
- Haben Sie etwas verloren? → Fragen Sie Fender!
- Kann die Polizei ein Problem nicht lösen? → Fragen Sie Fender!

Der Briefschreiber kennt mich also. Oder hat er nur meine
Webseite gelesen? „Schneller als die Polizei …" Und warum sage
ich „er"? Es kann ja auch eine Frau sein …
Ich sehe mir den Brief noch einmal an. Aha, von der Post im
8. Bezirk in Wien. Aber der Mörder ist sicher nicht dumm. Er
bringt den Brief nicht bei seiner Wohnung zur Post. Das hilft
mir also auch nicht.
Ich mache meinen Computer an und gehe ins Internet. Vielleicht
ist gar kein Mord passiert. Dann muss ich nicht länger an die
Sache denken. Ich google nach „Mord, Wien, Juni". Es kommen
viele Links und ich lese in einer Zeitung:

Mord in Wien

Gestern am frühen Morgen hat es in Wien am Gallitzinberg einen Mord gegeben. Ein Mann hat eine tote Frau gefunden. Er erzählt: „Ich gehe spazieren, so wie jeden Tag, da sehe ich: Bei den Bäumen liegt ein Mensch. Ich weiß sofort: Das ist nicht gut. Also gehe ich hin und finde Klara. Ich kann es nicht glauben!"
Die tote Frau ist die 22-jährige Klara Kainz. Sie war Studentin und hat nicht weit von dort gewohnt. Wer ist der Mörder? Und warum hat er es getan? Die Polizei weiß noch nichts.

---

der Detektiv,
der Mord:
→ S. 11

verlieren: wenn
man etwas nicht
mehr findet

sicher: zu 99 %

vielleicht: zu 20 %

Es gibt also wirklich einen Mord. Aber meint der Briefeschreiber diesen Mord?

Ich suche noch ein bisschen im Internet, aber ich finde
keinen anderen Mord in Wien. Klara Kainz also. „Ich habe
einen Menschen ermordet." Und die Polizei hat noch keinen
Verdacht ... Ist das wirklich ein Fall für Fender?

Und wenn ein anderer den Brief geschrieben hat? Wenn es gar
nicht der Mörder war? Vielleicht lacht er gerade über mich?
Egal, ich will jetzt wissen: Was ist hier los? Ich bin einfach
neugierig. Deshalb bin ich ja auch Detektiv.

Ich gehe wieder ins Internet und suche noch mehr
Informationen über den Mord. Dann schreibe ich alles auf
ein Papier:

- Klara Kainz, 22 Jahre alt,
  Sportstudentin an der Universität Wien
- Fußballspielerin: Mitglied in einem guten
  Fußballclub, dem „FC Vienna Women"
- Tatort: Gallitzinberg, 16. Bezirk in Wien
- die Polizei hat noch keinen Verdacht

Also los, Fender, „schneller als die Polizei ..." Was soll ich jetzt
tun? Ich gehe am besten gleich zum Tatort auf den Gallitzinberg.
Klar, der Mord war gestern, viel kann man dort nicht mehr
finden, aber vielleicht habe ich ja Glück ...

---

der Verdacht,
der Fall , der Tatort:
→ S. 11

neugierig: wenn man
etwas / viel wissen
will und fragt

die Fußballspielerin,
der Fußballclub:
→ S. 15

Kapitel 2: Kaffee und Kuchen

Der Blick über Wien ist sehr schön. Von hier aus, vom Gallitzinberg, sieht man die ganze Stadt: den Stephansdom, die Hofburg, das Schloss Schönbrunn … Und der Gallitzinberg ist auch ein schöner Platz: ein Park mit alten Bäumen und viel Grün.

Stopp … Ich bin nicht als Tourist hier. Ich will einen Mord aufklären.

Hier ist Klara Kainz also gestorben, gestern am frühen Morgen, da, bei den Bäumen. Vielleicht hat der Mörder schon auf sie gewartet …

Es gibt hier auch ein Café und da gehe ich jetzt hin. Erstens trinke ich immer gern Kaffee, und zweitens kann ich dort vielleicht interessante Dinge hören. Bei Kaffee und Kuchen sprechen die Leute gern und viel.

Hier sitzen viele Touristen, aber ich suche Leute aus Wien. In einer Ecke sehe ich drei alte Leute, zwei Männer und eine Frau. Sie trinken Kaffee, reden, und sie sehen nicht durch die Fenster zum Schloss Schönbrunn und zum Stephansdom. Das sind sicher keine Touristen. Das sind Wiener.

Ich setze mich an den Nebentisch, bestelle einen Kaffee und höre zu.

Die alten Leute sprechen über das Wetter und dann über ihre Familien. Mein Kaffee kommt.

„**Herr** Ober, bitte noch einen Schokoladenkuchen."

„Kommt sofort."

Jetzt sprechen sie über das Einkaufen. Der Kuchen kommt. Kann ich hier wirklich etwas Neues über den Mord hören? War das eine gute Idee?

---

der Tourist: macht
eine Reise z. B. in
eine Stadt

aufklären: → S. 11

der Ober: der Kellner
(in Süddeutschland
und Österreich)

„Die Klara, ja, das ist **schrecklich**", sagt der Mann mit
der **Glatze**. Na also, jetzt wird es interessant.

„Hast du sie gut gekannt?", fragt die Frau neben ihm.

„Na ja, gut gekannt … Sie hat nicht weit von hier gewohnt.
Man sieht sich auf der Straße, man sagt ‚Hallo', man redet
über das Wetter …"

„Weiß die Polizei schon etwas?", fragt der Mann mit
den grauen Haaren.

„Nein, ich glaube nicht. Der Mord war ja erst gestern.
So schnell ist die Polizei nicht."

„Hat Klara einen Freund gehabt?", fragt die Frau.

„Ich glaube, ja", sagt der Mann mit der Glatze, „manchmal
habe ich sie mit einem Mann gesehen. Aber in den letzten
Wochen nicht mehr."

„Vielleicht sind sie nicht mehr zusammen?", fragt die Frau.

„Und jetzt ist der **Ex-Freund** der Mörder …?"

„Jeden Tag ist sie am Morgen hier laufen gegangen.
Immer um sechs Uhr", sagt der Mann mit der Glatze.

---

schrecklich: sehr
schlecht

die Glatze: keine
Haare auf dem
Kopf

der Ex-Freund:
er ist nicht mehr
Klaras Freund

„Ja, sie war sehr sportlich. Und der Fußball war ihr wichtig",
weiß die Frau.

„Ja, immer Training."

„Sie war auch in einem guten Club."

„Ja, im nächsten Jahr spielen sie in der Profiliga, habe
ich gehört", sagt die Frau.

„Was? Das ist ja ein Ding! Sie steigen auf?"

„Klara war der Star in der Mannschaft."

„Und jetzt der Mord …"

Dann sagen sie eine Zeit lang nichts mehr.

Ich trinke noch ein bisschen Kaffee und esse meinen Kuchen.

Dann sagt der Mann mit den grauen Haaren:

„Ich habe in letzter Zeit hier oft einen jungen Mann gesehen.
Immer am Morgen, wenn Klara hier gelaufen ist."

„Ihren Freund?", fragt die Frau.

„Das weiß ich nicht, den kenne ich nicht."

„Vielleicht ist er ja der Mörder!"

„Er hat immer dort bei den Bäumen gestanden",
der Mann zeigt aus dem Fenster. „Man hat ihn von der
Straße nicht gut gesehen. Ja, ich glaube, der hat Klara …"

Keiner sagt etwas.

„Trinken wir noch einen Kaffee?"

„Ja, gute Idee."

„Und ich nehme noch einen Kuchen."

„Das Wetter ist heute sehr schön …"

Ok, ich glaube, hier höre ich keine neuen Dinge mehr über
den Mord … Klara ist also jeden Morgen hier gelaufen. Der
unbekannte Mann war oft hier, er hat sich alles genau
angesehen.

die Profiliga, auf-
steigen, die
Mannschaft: → S. 15
das ist ja ein Ding:
das ist toll

In dem großen Park kann man sich leicht verstecken. Und um sechs Uhr ist noch kein Mensch auf der Straße. Ist Klaras Freund der Mörder? Oder ein anderer Mann? Ich muss ihn finden.

Aber wenn der Mörder gar kein Mann ist? Wenn es eine Frau ist? Vielleicht eine Frau aus dem Fußballclub? Klara war dort der Star. Das gefällt wahrscheinlich nicht allen. Vielleicht will eine andere Spielerin der Star sein?

Ich glaube, diesen Fußballclub sehe ich mir jetzt gleich ein bisschen genauer an. Vielleicht bekomme ich dort auch Informationen über den Freund oder auch Ex-Freund …

„Herr Ober, zahlen bitte!"

Wer hat das gemacht?
der Mörder,
die Mörderin

Was macht ein Mörder?
Er ermordet eine
Person. (ermorden)

man weiß etwas,
ist aber nicht sicher
der Verdacht

eine Aufgabe für die
Polizei / den Detektiv
der Fall

Was ist passiert?
der Mord

Wo passiert
der Mord?
am Tatort

Was macht die Polizei?
Zuerst ermittelt sie und
dann klärt sie den Mord
auf. (ermitteln, aufklären)

Wer sucht den Mörder?
die Polizei, der Detektiv

---

verstecken: man
soll eine Person
nicht sehen

wahrscheinlich:
zu 80%

genau: sehr gut

Kapitel 3: Auf dem Fußballplatz

Ich fahre zu Klaras Fußballclub. In der Straßenbahn google ich den *FC Vienna Women:* Seit einem Jahr gibt es dort eine neue Trainerin. Mit ihr ist die Mannschaft viel besser geworden. Das letzte Spiel vor der Sommerpause ist am Sonntag. Und das müssen sie gewinnen. Dann steigen sie im nächsten Jahr in die Profiliga auf.

In der neuen Liga ändert sich wahrscheinlich viel: Neue Spielerinnen kommen und alte müssen gehen.

Ich komme zum Fußballplatz. Dort trainieren die Spielerinnen für das wichtige Spiel am Sonntag. Daneben stehen ein Mann und eine Frau und schauen zu.

Die kenne ich doch, denke ich. Die habe ich gerade im Internet gesehen: Die Frau ist die neue Trainerin. Und der Mann – er ist älter – ist der Präsident von *FC Vienna Women.*

„Hallo", sage ich, „mein Name ist Murkovic. Ich komme von der Zeitung ‚Fußball heute'. Haben Sie einen Moment Zeit?"

Ich denke mir: Sicher will keiner im Club mit einem Detektiv sprechen. Nicht jetzt nach dem Mord. Na ja, mit der Zeitung wollen sie vielleicht auch nicht sprechen. Aber mal sehen …

„Keine Interviews", sagt der Präsident. „Sie wollen sicher über den Mord sprechen."

„Nein, ich möchte über … ähhh … den Club sprechen. Über den Aufstieg, über das nächste Jahr."

Trainerin und Präsident sprechen leise.

„Okay", sagt der Präsident dann. „Aber nur kurz. Wir haben am Wochenende ein wichtiges Spiel. Und nach der Sache mit Klara Kainz ist es für die Spielerinnen nicht leicht."

---

die Trainerin, das Spiel,
der Fußballplatz, trainieren,
der Präsident: → S. 15

zuschauen: etwas sehen, aber
nicht mitmachen

„Kein Problem, nur kurz … danke. Der *FC Vienna Women*
steigt im nächsten Jahr wahrscheinlich auf – wie haben Sie
das gemacht?"
„Mit viel Training", sagt die Trainerin. „Mehr als früher."
„Und mit einer besseren Trainerin!", erklärt der Präsident.
„Sonntag ist ein wichtiger Tag", sage ich. „Wie ist Ihr Plan –
ohne Klara Kainz?"
„Klara ist tot, wir sind alle sehr traurig. Sie war eine
tolle Spielerin. Aber wir haben auch andere, sehr gute
Fußballerinnen", sagt die Trainerin.
„Die Mannschaft spielt am Sonntag für Klara – und gewinnt
für Klara", sagt der Präsident.
„Klara Kainz war hier ein Star … das haben wahrscheinlich
nicht alle Spielerinnen gut gefunden, oder?"
„Sie wollen ja doch über Klara Kainz sprechen!"
Der Präsident sieht mich böse an.
„Nein, nein. Ich denke nur: Eine wichtige Spielerin ist weg.
Jetzt kommt eine andere auf ihre Position. Wer ist das?"
Die Trainerin sieht aufs Spielfeld: „Das wissen wir heute
Abend oder morgen."
„Diese andere Spielerin ist sicher froh über Klaras **Tod**."
„Was sagen Sie denn da?"
„Sie kann im nächsten Jahr vielleicht als **Profi** spielen.
Nicht alle hier kommen in die neue Mannschaft."
„Das stimmt, aber …"
Vielleicht hat eine Spielerin mit dem Mord zu tun."
„Was …?"
Der Präsident ist jetzt sehr böse.
„Können Sie mir bitte ein paar Namen sagen?"
„Sie sprechen immer über den Mord. Wer sind Sie wirklich?"

---

die Fußballerin, die Position,
der Profi: → S. 15

der Tod: wenn er kommt, ist
eine Person tot

Ich glaube, ich gehe jetzt besser.

Aber der Präsident stellt sich in den Weg.

„Zeigen Sie mir Ihren Journalistenausweis!"

Einige Spielerinnen sind gekommen und schauen uns zu.

Ich sage: „Oje, ich habe meinen Ausweis leider zu Hause vergessen."

„Geben Sie mir Ihren Ausweis oder ich hole die Polizei."

Ich gebe ihm meinen Ausweis.

„Ein Detektiv! Was wollen Sie hier?"

„Mein Name ist Fender. Ich ermittle im Fall Klara Kainz."

„Raus hier!"

„Wenn Sie Informationen für mich haben …"

„Raus! Oder ich hole sofort die Polizei."

Er nimmt sein Handy.

„Ich gehe ja schon."

„Und kommen Sie nie wieder!", sagt die Trainerin.

Das ist schlecht gelaufen, denke ich. Was mache ich jetzt?

Ich fahre am besten erst einmal zurück ins Büro.

Ich warte also auf die Straßenbahn. Da kommt eine junge Fußballerin. Sie gibt mir ihre Telefonnummer:

„Rufen Sie mich an. Später. Wegen Klara."

„Wer sind Sie? Was …?"

Aber sie läuft schon wieder zurück.

Vielleicht ist es doch nicht so schlecht gelaufen.

---

sich in den Weg	der Journalist:	Raus!: eine Person
stellen: niemand	er schreibt für eine	soll sofort gehen
kommt vorbei	Zeitung	

Er / Sie ist der Lehrer /
die Lehrerin im Sport.
der Trainer / die Trainerin

Er / Sie ist der Chef
von einem Verein.
der Präsident / die Präsidentin

Er / Sie spielt z. B. Fußball.
der (Fußball-)Spieler,
der Fußballer / die (Fußball-)
Spielerin, die Fußballerin

Im Fußball ist es
90 Minuten lang.
das Spiel

der Fußballverein
der Fußballclub

der Platz und
die Aufgabe im
Fußballspiel
die Position

im nächsten Jahr
in eine bessere
Liga kommen
aufsteigen

Er / Sie macht
Sport als Beruf.
der Profi

Mannschaften spielen dort um
die Plätze, die Spieler verdienen
dort Geld mit Fußball.
die Profiliga

Dort spielt man Fußball.
auf dem Fußballplatz

elf Fußballspieler spielen
zusammen
die Mannschaft

Kapitel 4: Vorsicht, Fender!

„Julia Kalman."
„Hallo, hier Fender."
„Bitte wer?"
„Fender, der Detektiv", sage ich. „Wir haben heute gesprochen.
Beim Fußballclub. Sie haben mir Ihre Nummer gegeben."
„Ach so, ja, guten Tag, Herr Fender."
„Sie möchten mit mir sprechen? Über Klara Kainz?"
„Ja, aber nicht jetzt. Nicht am Telefon."
Ich höre ganz leise Leute reden und Musik aus dem Radio.
„Ich bin gerade in einem Café", sagt Julia Kalman.
„Können wir uns später treffen?", frage ich.
„Ja, gut. Wie ist es heute Abend um halb zehn?"
„Ja, das geht gut."
„In der Bandgasse, Ecke Kandlgasse, okay?", fragt Julia Kalman.
„Ja, in Ordnung. Dann bis später."
„Bis dann."

Also bin ich kurz vor halb zehn in der Bandgasse im 7. Bezirk.
Ich denke nach: Warum will Julia Kalman mit mir sprechen?
Was will sie mir sagen? Kennt sie den Mörder? Oder hat sie
einen Verdacht? Warum geht sie dann nicht zur Polizei?
Oder hat sie etwas mit dem Mord zu tun? Ist vielleicht sie die
Mörderin? Ist das hier eine Falle? Ich sehe auf die Uhr:

21:30 Uhr. Es wird langsam dunkel. Ich gehe die Straße auf und ab.

21:35 Uhr. Zwei Leute gehen vorbei, ein Mann und eine Frau.
Sie halten sich an der Hand. Eine Familie kommt aus einem
Restaurant. Vater, Mutter und zwei Kinder.

die Gasse:
kleine Straße

die Falle: etwas ist
schlecht, aber es soll
nicht so aussehen

21:40 Uhr. Ich rufe Julia Kalman besser noch einmal an.

„Das ist die Mailbox von Julia Kalman. Ich kann gerade nicht sprechen. Bitte sprechen Sie eine Nachricht nach dem Beep."

„Hallo, hier Fender. Es ist schon zehn nach halb. Kommen Sie noch? Bitte rufen Sie mich zurück."

Ein alter Mann geht mit seinem Hund spazieren. Dann kommt eine Gruppe junger Leute. Sie lachen, sprechen laut, ich glaube, sie suchen die nächste Bar.

21:45 Uhr. Warum kommt sie nicht? Was ist los? Ich rufe noch einmal an.

„Das ist die Mailbox von …"

Fünf Minuten warte ich noch, dann gehe ich.

Was ist denn das für ein Fall? Zuerst dieser Brief, dann will die Fußballerin mit mir sprechen, aber sie kommt nicht …

Stopp … ist dort jemand? In dem grünen Auto? Ist das Julia Kalman?

Nein, da sitzt ein Mann im Auto. Ist der schon länger da?

Es ist schon fast dunkel, ich kann den Mann nicht gut sehen.

Ich gehe mal über die Straße, näher zum Auto.

Da – jetzt macht er das Licht an. Aber so kann ich ihn gar nicht mehr sehen.

Das Auto startet. Es fährt auf mich zu.

Die Lichter kommen näher.

Ich stehe auf der Straße, sieht der mich nicht?

Das Auto wird schneller.

Halt! Will der mich …?

„Halt!!!"

---

die Nach-
richt: eine
Information

jemand:
eine Person

nah: ↔ weit

starten:
anfangen
(mit Fahren)

Ich springe in letzter Sekunde zur Seite.

Das Auto fährt weiter.

Eine Sekunde später und ich …

Puh! Was war das? Ich stehe langsam auf und setze mich auf eine Bank. Wer war in dem Auto? Ein Mann, ja, aber mehr habe ich nicht gesehen. Ein grünes Auto, okay, aber das ist auch schon alles.

Will Julia Kalman mich ermorden? Hat sie diesen Mann bezahlt? Wollte sie mich deshalb treffen?

Oder will ein anderer mich töten? Der Präsident des Clubs vielleicht? Oder die Trainerin?

Aber die wissen ja nichts von meinem Treffen mit Julia Kalman. Vielleicht hat es aber auch nichts mit Julia zu tun. Vielleicht hat mich der Autofahrer einfach nicht gesehen. Vielleicht hat er zu viel Wein getrunken?

Ich gehe jetzt nach Hause. Und ich rufe noch einmal Julia an.

„Das ist die Mailbox von …"

---

springen: Fender muss
sehr schnell weg von der Straße;
schneller als laufen

töten: eine Person tot machen

Kapitel 5: Finden Sie den Mörder!

Am nächsten Morgen bekomme ich ein E-Mail von Julia:

Antworten Löschen

Lieber Herr Fender,
Entschuldigung, ich war gestern nicht in der Bandgasse. Ich war im Krankenhaus.
Meine Mutter ist krank. Und mein Handy hat nicht funktioniert. Können wir uns
heute treffen?
Viele Grüße, Julia Kalman

Aha, … das Handy. Auch kein Problem, dann treffen
wir uns heute.
Ich will Julia Kalman gerade antworten, da kommt
wieder so ein Brief:

> Hallo Fender,
> wer hat Klara ermordet? Weißt du das schon?
> Nein! Du hast keinen Verdacht!
> Genau wie die Polizei.
> Na, wer ist jetzt der Dumme?
>
> Viele Grüße, der Mörder

Schon wieder! Was will der denn von mir?
Möchte er mir Informationen zum Mord geben? Dann soll er
bitte zur Polizei gehen!
„Na, wer ist jetzt der Dumme?" – Das habe ich doch schon einmal
gehört. Aber wo? Wer hat das gesagt?

---

nicht funktionieren: man kann
es nicht benutzen

der / die Dumme sein: für die
Person ist das Ende schlecht

Jetzt weiß ich es! Ein Junge aus meiner Klasse hat das immer zu mir gesagt. Wie heißt der? Markus? ... Nein. Herbert? ... Nein. ... Jetzt weiß ich es wieder: Christian. Ja, genau, Christian. Er hat in der Schule neben mir gesessen. Und wir waren beide in dasselbe Mädchen *verliebt*. Natürlich ist sie meine Freundin geworden und nicht seine. Und natürlich war Christian dann böse.

Und später, wenn er einmal besser war als ich, hat er immer gesagt: „Na, wer ist jetzt der Dumme?" Immer wieder hat er das gesagt. Der war ein bisschen *verrückt*.
Aber das alles hilft mir leider auch nicht bei meinem Fall ...

Ich treffe Julia im *Café Hummel* in der Josefstädter Straße im 8. Bezirk. Ich bestelle Kaffee und Apfelkuchen. Julia nimmt nur ein Wasser.
„Entschuldigung, ich war gestern nicht da", sagt sie.
„Kein Problem. Geht es Ihrer Mutter besser?"
„Ein bisschen."

---

verliebt: wenn man   verrückt: nicht normal
jemanden sehr mag

Sie sagt nichts über das grüne Auto. Und ich frage nicht.
Vielleicht hat sie wirklich nichts damit zu tun.
„Warum wollen Sie mit mir sprechen?", frage ich.
„Klara ist … war meine beste Freundin. Und Sie sagen,
Sie suchen den Mörder? Ich will Ihnen helfen."
„Die Polizei sucht auch den Mörder. Warum gehen Sie
nicht zur Polizei?"
„Ich möchte Sie als Detektiv! Ich glaube, Sie können den
Mörder finden. Sehen Sie sich Klaras Ex-Freund an,
Harald Hammerl. Vielleicht ist er der Mörder", sagt sie.

Der Ex-Freund? Von dem habe ich schon gehört.
Ist das der Mann vom Gallitzinberg?
„Was ist mit dem Ex-Freund?", frage ich.
„Der ist ein bisschen verrückt."
Schon der zweite Verrückte heute …
„Die zwei sind seit drei Wochen nicht mehr zusammen.
Klara wollte nicht mehr. Sie hat Schluss gemacht."
„Und er hat …?"
„Er wollte nicht gehen. ‚Du gehörst mir' hat er gesagt, und
sie angerufen, jeden Tag. Er hat ihr E-Mails geschrieben,
er hat nach dem Training auf sie gewartet. Er hat ihr teure
Geschenke gekauft."
„Okay, ich sehe mir den Ex-Freund mal genauer an.
Aber zuerst habe ich noch eine Frage an Sie", sage ich.
„Spielen Sie am Sonntag bei dem wichtigen Spiel mit?
Sind Sie nächstes Jahr in der Profimannschaft?"
„Das ist noch nicht sicher."
„Aber jetzt ist Klara tot. Jetzt ist es leichter für Sie, oder?
Klaras Tod ist auch gut für Sie."

„Gut für mich? Sind Sie verrückt? Sie war meine beste Freundin."

Julia weint.

Ich glaube, sie ist wirklich traurig.

Ich sage: „Entschuldigung. Das ist mein Job als Detektiv. Ich muss Sie das fragen."

„Schon okay", sagt Julia. „Finden Sie einfach den Mörder."

Vielleicht ist sie die Mörderin, denke ich.

Aber ich glaube es nicht.

Julia sagt: „Ich muss Ihnen noch ein paar Dinge über Harald und Klara erzählen …"

---

weinen: aus den
Augen kommt Wasser

traurig: ↔ glücklich

Kapitel 6: Der Ex-Freund

Julia hat mir die Adresse von Harald Hammerl gegeben, ich fahre gleich zu ihm. Aber er ist nicht da. Ich warte ein paar Minuten, dann fahre ich ins Büro zurück.

Um 20 Uhr stehe ich wieder vor seinem Haus. Jetzt, am Abend, ist er wahrscheinlich zu Hause. Ich gehe über die Treppe in den 3. Stock und klingle an seiner Tür.

Ein junger Mann öffnet.

„Ja, bitte?"

„Harald Hammerl?", frage ich.

„Ja. Was ist los?"

„Ich muss kurz mit Ihnen sprechen."

„Okay, um was geht es?", fragt Harald.

„Können wir in Ihre Wohnung gehen?"

„Äh ... Wer sind Sie?"

---

klingeln: „ding dong" an der Haustür machen,
wenn man in eine Wohnung möchte

Ich zeige ihm meinen Ausweis.

„Ein Detektiv … ich verstehe nicht."

„Es geht um Frau Kainz."

„Sind Sie von der Polizei?"

„Nein, aber …"

„Dann muss ich nicht mit Ihnen sprechen."

Er will die Tür schließen.

„Doch, müssen Sie." Ich stelle meinen Fuß in die Tür.

„Nein, muss ich nicht. Gehen Sie!"

„Ich arbeite mit der Polizei zusammen."

Das ist nicht richtig, aber vielleicht spricht er dann mit mir.

„Wirklich?"

„Können wir jetzt in Ihre Wohnung gehen?"

„Okay, kommen Sie."

Wir setzen uns an seinen Küchentisch.

„Herr Hammerl, Sie sind auch Sportstudent?", frage ich.

„Ja."

„Sie spielen auch Fußball?"

„Ja, aber …"

„Klara war besser als Sie. Vielleicht hat Ihnen das nicht gefallen."

„Was hat das mit ihrem Tod zu tun?"

„Wie lange sind Sie nicht mehr mit Klara zusammen?", frage ich.

„Drei Wochen. Aber sie wollte zu mir zurückkommen."

„Das glaube ich nicht", sage ich und denke an Julias Erzählungen.

„Sie wissen gar nichts." Er sieht mich böse an.

„Hat Klara einen neuen Freund gehabt?", frage ich.

„Sind Sie verrückt? Ich war ihr Freund. Sie wollte zu mir …"

„Ja, ja, das haben Sie schon gesagt. Warum ist Klara gegangen?"

„Das weiß ich auch nicht. Ich habe sie geliebt."

„Doch, Sie wissen es."

„Nein … ja … Vielleicht."

„Sie haben Sie geschlagen."

„Nein, nein, das war … das war nur … Ich wollte das nicht."

„Und in den letzten drei Wochen", sage ich, „haben Sie Klara oft angerufen, auf sie gewartet, ihr teure Dinge gekauft."

„Ja, ich wollte mich entschuldigen. Ich habe Klara geliebt. Ich liebe sie noch immer!"

Er beginnt zu weinen.

„Wo waren Sie am Dienstagmorgen um sechs Uhr?", frage ich.

„Da ist Klara doch ermordet worden?"

„Herr Hammerl, wo?"

„Na, hier, im Bett. Wo sind Sie denn um sechs Uhr? Ich habe geschlafen."

„Waren Sie allein?"

„Natürlich. Klara ist doch … Klara war doch …"

Er weint wieder.

„Vielleicht waren Sie gar nicht zu Hause", sage ich.

„Vielleicht waren Sie am Gallitzinberg."

„Hören Sie schlecht?" Jetzt wird er böse. „Ich – war – im – Bett! Hier!"

Er steht auf.

„Gehen Sie jetzt!"

„Herr Hammerl, bitte …"

„Raus! Sofort!"

Ich gehe langsam die Treppe hinunter. Hat er Klara ermordet? Kann schon sein. Aber warum sollte er mir Briefe schreiben? Da klingelt mein Handy.

„Herr Fender, bitte helfen Sie mir!"

„Wer ist da?"

„Hier ist Julia Kalman. Herr Fender, da ist jemand vor meinem Haus. Der beobachtet mich. Bitte kommen Sie schnell …"

---

schlagen: mit der
Hand wehtun

beobachten: eine
längere Zeit ansehen

Kapitel 7: Wer ist im Garten?

Ich telefoniere mit Julia: „Also mal langsam: Was ist los?"
„Da ist ein Mann … vor meinem Haus. Ich habe ihn aber
nur kurz gesehen. Er versteckt sich."
„Und Sie glauben, er beobachtet Sie?"
„Ja, genau."
„Und Sie glauben, er ist jetzt noch da?"
„Ja, aber ich bin nicht ganz sicher."
„Warum rufen Sie nicht die Polizei an?"
„Habe ich ja gemacht. Aber die hat gesagt: ‚Warten Sie
20 Minuten. Wenn er dann immer noch da ist, rufen Sie noch
einmal an.' Ich will aber nicht warten! Bitte helfen Sie mir!"

Ich nehme ein Taxi und fahre zu Julia in den 13. Bezirk. Ich
steige zwei Straßen vor ihrem Haus aus. Der Mann soll mich
nicht hören – wenn es ihn wirklich gibt. Ich gehe leise näher.
Vor Julias Haus ist ein kleiner Garten. Hier gibt es viele Bäume
und Büsche.
Da, zwischen den Büschen ist wirklich jemand! Ein Mann mit
dunkler Kleidung. Er versteckt sich und sieht zum Fenster.

der Busch: das Fenster: hier
ein kleiner Baum   kommt Licht ins Haus

Was macht der hier? Was will der von Julia?

So, Fender, denke ich, jetzt geh leise. Langsam und ganz leise.

Ich komme näher.

Gleich bin ich da.

Krrrkkk, oje … ein Ast … das war zu laut. Das hat er sicher gehört.

Ja, wirklich, er sieht zu mir und läuft dann weg.

„He, bleiben Sie stehen! Wer sind Sie?"

Ich laufe ihm nach. Den muss ich …

Aber er ist schnell und es ist dunkel. Und er kennt den Weg.

Der war nicht zum ersten Mal hier, da bin ich sicher.

Ich gehe zurück zu dem Busch. Hier hat er also gestanden.

Ich suche noch ein bisschen beim Busch.

Was ist das hier? Das nehme ich besser mit …

Ich klingle bei Julia.

„Herr Fender, zum Glück sind Sie hier!"

„Es war wirklich ein Mann in Ihrem Garten.

Jetzt ist er nicht mehr da."

„Danke für Ihre Hilfe!"

„Kein Problem. Ich bleibe besser noch ein bisschen hier.

Vielleicht kommt er zurück."

Wir gehen ins Haus, Julia macht Kaffee und ich setze mich

auf das Sofa.

„Ein schönes Haus", sage ich. „Wohnen Sie hier allein?"

„Das ist das Haus von meinen Großeltern. Ich wohne

im ersten Stock."

„Und Ihre Großeltern?"

„Sie sind zurzeit im Urlaub."

Dann frage ich: „Wer war da im Garten? Was denken Sie?"

„Ich habe keine Ahnung, leider."

---

der Ast: ein kleiner
Teil von einem Baum
oder einem Busch

der Weg: dort läuft
man von A nach B

keine Ahnung
haben: nichts
wissen

„Sehen Sie mal, das habe ich draußen gefunden. Da ist noch ein bisschen Kaffee drin und er ist noch warm. Der ist wahrscheinlich von dem Mann."

Ich zeige ihr einen Kaffeebecher aus Papier.

„Der ist ja von *Coffee & Co*, da bin ich oft. Das ist mein Lieblingscafé!"

„Interessant ... kennen Sie dort jemanden?", frage ich.

„Na ja, kennen ... den Chef kenne ich ein bisschen. Mit dem spreche ich oft, wenn er meinen Kaffee bringt. Den finde ich ganz nett."

„Ganz nett?"

„Sagen wir mal, ich mag ihn, aber manchmal sieht er mich so an ... so verliebt ... ich weiß nicht. Das gefällt mir nicht."

„Vielleicht ist er wirklich in Sie verliebt? Vielleicht will er nah bei Ihnen sein. Und beobachtet Sie zu Hause?"

„Das glaube ich nicht."

„Wie heißt er?", frage ich.

„Chris."

Hm, Chris ... das ist kurz für Christoph. Oder für Christian? Wie der Junge aus meiner Schule? Aber viele Leute heißen so.

„Erzählen Sie mir von Chris. Wie sieht er aus?", sage ich.

„Ich weiß nicht viel. Er ist vielleicht so alt wie Sie, Mitte 30 oder so. Er hat schwarze Haare, und er hat eine Narbe über dem rechten Auge."

Aha, „mein" Christian hatte keine Narbe. Dann ist es wahrscheinlich ein anderer.

„Morgen google ich diesen Chris von *Coffee & Co*. Vielleicht finde ich etwas", sage ich.

Ich bleibe noch ein bisschen bei Julia.

Aber der Mann kommt nicht mehr zurück.

---

nett: ↔ böse

die Narbe: man kann
sehen: das Auge
war einmal kaputt

Kapitel 8: Einer oder zwei?

Am nächsten Morgen sitze ich in meinem Büro und schreibe die wichtigen Dinge über die Verdächtigen auf:

— Harald, der Ex-Freund: Er will Klara nicht gehen lassen. Vielleicht hat sie einen neuen Freund gefunden. Aber das will Harald nicht. Und: Klara war besser im Fußball. Das findet er nicht gut.

— Julia: Klara ist tot, jetzt gibt es mehr Platz in der Profimannschaft im nächsten Jahr. Aber: Ich glaube nicht, dass Julia ihre beste Freundin ermordet hat.

Vielleicht war es eine andere Fußballerin: Viele wollen in die Profimannschaft.

— Der Briefeschreiber: Wer ist er? Ist er der Mörder? Was hat er gegen Klara?

Vielleicht hat er von dem Mord gelesen und jetzt schreibt er mir und will mich ärgern? Vielleicht ist er böse auf mich? Vielleicht ist es auch ein früherer Kunde von mir: Ein paar Leute sind zu mir gekommen, aber ich habe Ihnen leider nicht helfen können ...

— Oder ist das wirklich der Christian aus meiner Schule? „Wer ist jetzt der Dumme?" ... Aber hat Christian Klara gekannt? Ist er der Chris aus Julias Lieblingscafé?

---

der / die Verdächtige:
vielleicht ist das der Mörder / die Mörderin

Die Post kommt, und – ich kann es nicht glauben – da ist schon wieder ein Brief vom Mörder:

> Na, Fender, noch immer keine Idee?
>
> Du bist wirklich ein schlechter Detektiv!
> Na ja, ich habe es mir schon gedacht …
>
> Viele Grüße, der Mörder

Der ist wirklich verrückt!
Ich google jetzt „meinen" Christian. Vielleicht hilft das.
Aha, er ist wirklich der Chef von *Coffee & Co* in Wien … und es gibt ein Foto von ihm in seinem grünen Auto. Interessant …

Und hier, das ist aus einer Zeitung, der Text ist fünf Jahre alt:

Unfall in den Bergen

So einen Urlaub wünscht sich keiner! Gestern hatte der Wiener
Christian K. einen schweren Unfall in den Salzburger Bergen.
Auf dem Weg zum …

Aha, die Narbe über dem rechten Auge … die kommt sicher
von diesem Unfall.
Chris ist also wirklich mein alter Schulfreund.
Wahrscheinlich war er auch der Mann in Julias Garten gestern
Abend. Er hat den Kaffeebecher liegen lassen. Christian ist
in sie verliebt, das hat sie selbst gesagt. Wahrscheinlich hat er
auch die Briefe an mich geschrieben.
Und er war der Mann in dem grünen Auto, da bin ich sicher.
Er hat in der Bandgasse gewartet und hat mich fast getötet.
Julia und ich haben am Telefon über dieses Treffen gesprochen.
Da war sie gerade in einem Café – in **seinem** Café, und er hat
alles gehört.

Okay, alles schön und gut. Christian ist verrückt, er schreibt
mir diese Briefe und vielleicht will er mich sogar töten. Aber
Klara ermorden? Warum?
Ich denke, es sind zwei verschiedene Menschen: Der Mörder
und der Briefeschreiber.
Da klingelt mein Telefon.
„Ich bin's, Julia. Herr Fender, ich bin fast sicher: Chris ist der
Mörder …"

---

der Unfall: es passiert
etwas und eine Person ist
nicht mehr okay

der Berg: z. B. der
Mount Everest

Kapitel 9: Danke, Mörder!

„Julia, was ist los?", frage ich am Telefon.

„Chris hat Klara umgebracht."

„Okay … Warum glauben Sie das?"

„Er hat gesagt, ich soll dem Mörder ‚danke' sagen …"

Ich verstehe nur Bahnhof.

„Julia, wo sind Sie jetzt?", frage ich.

„Ich bin in einem kleinen Park, in der Nähe von Chris' Café."

„Okay, erzählen Sie mir, was passiert ist, von Anfang an."

Julia erzählt am Telefon:

> Ich habe gestern Abend die ganze Zeit an den Mann im Garten gedacht, auch in der Nacht habe ich nicht geschlafen. Und heute Morgen will ich dann wissen: War das wirklich Chris? Ich gehe gleich in sein Café, setze mich an die Bar und beobachte ihn: Was tut er, wenn er mich sieht? Ist er anders als in den letzten Wochen?
>
> Chris sieht mich bald und … Ich glaube, er will am liebsten weglaufen. Ja, er war es, denke ich. Sicher! Er war gestern in meinem Garten.
>
> Dann kommt er doch zu mir und bringt mir wie immer einen Kaffee.
>
> „Hallo Julia, wie geht es dir?", fragt er.
>
> Und dann spricht er über den Mord an Klara:
>
> „Das ist schrecklich! Sie war deine Freundin, oder? Wer macht denn so etwas?" Er ist wirklich nett.
>
> Und ich denke mir: Ach, ich bin ein schlechter Mensch! Chris ist so nett, und ich glaube, er ist der Mann aus meinem Garten. Chris ist einfach ein normaler Mann, vielleicht ist er ein bisschen in mich verliebt, aber na ja, das kann doch passieren.

---

nur Bahnhof verstehen: gar nichts verstehen

von Anfang an: wirklich alles; von A bis Z

Er ist sicher nicht der Mann von gestern Abend.

Aber dann sagt Chris: „Für dich ist das doch auch gut, Julia."

„Was?", frage ich.

„Na, Klara ist tot, jetzt kannst du am Sonntag spielen. Und nächstes Jahr bist du ein Profi. Das ist doch toll! Julia, die Profifußballerin. Das möchtest du doch so gern. Das hast du oft gesagt."

„Ja", sage ich, „aber das ist doch jetzt nicht mehr wichtig. Klara ist tot. Sie war meine beste Freundin."

„Doch, es ist wichtig! Für mich ist das wichtig. Du bist gut. Du musst in der Profimannschaft spielen."

Und dann sagt er noch: „Vielleicht hat der Mörder es für dich gemacht. Er hat dir geholfen. Er weiß, du bist die Bessere." Und er sieht mich an und lacht. „Vielleicht musst du dem Mörder danken."

Ich sehe ihn an und seine Augen sagen: Ich habe es für dich gemacht. Ich liebe dich. Jetzt musst du mich auch lieben.

Ich denke: Der ist ja verrückt! Aber ich sage: „Ja, vielleicht … vielleicht ist das richtig. Der Mörder hat mir wirklich geholfen."

Und dann muss Chris zum Glück zu einer anderen Kundin.

Ich trinke meinen Kaffee schnell aus und gehe.

Das finde ich interessant … *Coffee-Chris* ist also der Mörder? Wirklich? Wie können wir das sicher wissen? Hm, ich glaube, ich habe eine gute Idee …

„Julia, sind Sie noch in dem Park beim Café?", frage ich am Telefon.

„Ja. Was soll ich denn jetzt machen? Chris ist verrückt. Zuerst ermordet er Klara, und dann? Wenn ich ihn nicht liebe? … Ich kann nie mehr in mein Lieblingscafé gehen!"

„Doch", sage ich, „Sie müssen genau das tun! Warten Sie im Park auf mich, ich bin gleich bei Ihnen und erkläre Ihnen alles. Und dann wissen wir bald: Ist Chris der Mörder oder nicht?"

Kapitel 10: Wer ist jetzt der Dumme?

„Julia, alles klar? Haben Sie alles genau verstanden?"
„Ja, alles klar."
Wir sitzen auf einer Bank im Park. Ich gebe ihr ein
kleines Mikrofon. Sie legt es in ihre Tasche.
„Sie wissen", sage ich, „ich höre alles. Wenn es ein
Problem gibt, komme ich sofort ins Café."
„Ja, in Ordnung. Eins – zwei – Test – Test – eins – eins, hören
Sie mich?"
„Sehr gut! Wir können anfangen."

Wir gehen zusammen zu Chris' Café. Ich setze mich in ein
Restaurant gleich um die Ecke und bestelle eine Cola.
Julia geht ins Café und setzt sich an die Bar.
Ich höre andere Leute leise sprechen und lachen.
„Hallo, Chris", sagt Julia.
„Oh, hallo, Julia. Heute schon zum zweiten Mal hier?
Glück für mich. Einen Kaffee wie immer?"
„Nein, jetzt nicht."
„Tee, Cola, Apfelsaft?"
„Nein, auch nicht, heute nehme ich … Champagner!"
„Champagner? Das trinkst du doch sonst nie", sagt Chris.
„Heute ist ein wichtiger Tag. Heute gibt es etwas zu feiern."
„Ja, was denn?"
„Ich habe gerade mit der Trainerin telefoniert. Sie sagt,
ich kann am Sonntag spielen."
„Und wenn du am Sonntag spielst …"
„… dann bin ich wahrscheinlich im Herbst in der
Profimannschaft."

---

das Mikrofon: das hat
ein Journalist beim
Interview immer dabei

feiern: zusammen lustig sein,
es gibt oft gutes Essen und
Getränke

„Gratuliere! Das müssen wir wirklich feiern … Hier ist der
Champagner. Ein Glas für dich und ein Glas für mich. Prost!"
„Prost, Chris!"

„Ich weiß, Klaras Tod ist sehr traurig für dich", sagt er.
„Aber ich freue mich, dass du in der Mannschaft bist."
„Ich mich auch. Klara fehlt mir sehr, aber es stimmt:
Der Mörder hat mir wirklich geholfen. Ohne den Mörder
würde ich am Sonntag nicht spielen."
„Ja, das stimmt."
„Ich bin wirklich die Richtige für die Profimannschaft.
Klara war immer der Star, aber so gut war sie gar nicht."
„Du bist besser."
„Ja, finde ich auch. Und jetzt können es alle sehen.
Danke, Mörder!"
„Ja, genau. Danke, Mörder! Prost!"
Ich höre Chris lachen.
Gut so, Julia, weiter …

Prost!: sagt man,   stimmen: richtig   der Star: alle kennen
wenn zwei Gläser   sein   und mögen diese
„kling" machen   Person

„Weißt du", sagt sie jetzt, „ich würde den Mörder gerne kennenlernen. Ihm ‚danke' sagen. Verrückt, oder?"

„Nein, das finde ich nicht verrückt."

„Aber niemand kennt den Mörder. Schade!"

„Möchtest du ihn wirklich treffen?"

„Ja, sicher! Ich glaube, er hat das für mich getan. Ich glaube, er ist ein ganz toller Mann."

„Na ja, vielleicht kann ich dir helfen."

„Wirklich? Du kennst ihn? Das ist ja toll. Wer ist es? Einer von deinen Gästen? Ist er hier im Café? Ich will ihn kennenlernen. Ich glaube, ich bin fast ein bisschen verliebt in den Mörder."

„Wirklich? Dann schließ die Augen."

„Okay ..."

„Öffne sie wieder", sagt Chris. „Jetzt siehst du den Mörder."

„Aber Chris, ich sehe ja nur ... dich? Du hast Klara ermordet? Wow, das habe ich nicht gedacht."

„Ich habe es für dich getan."

„Oh, Mann, Chris, du bist so cool! Das habe ich immer gewusst. Wir müssen bald mal ausgehen."

„Ja, sehr gerne."

„Sag es noch einmal, ich will es noch einmal hören: Du hast Klara umgebracht, für mich, nur für mich."

Er sagt: „Ich habe Klara umgebracht. Für dich, Julia. Ich liebe dich."

„Oh, Chris ..."

So, mehr brauche ich nicht. Der ist wirklich verrückt. Der glaubt ihr alles. Wie sagt man so schön: Liebe macht blind.

---

ausgehen: abends zusammen
z. B. in ein Restaurant gehen

blind: man kann
nichts sehen

Ich gehe ins Café.

„Hallo, Christian", sage ich.

„Oh, hallo, Fender … Was machst du hier?"

„Ich habe gerade ein paar interessante Dinge gehört."

„Ach so, … was denn?"

Ich lege meinen Laptop auf einen Tisch.

„Ich habe alles gehört, und alles ist jetzt auch in meinem Computer."

Ich drücke auf *Start*. Man hört Christian im ganzen Café:

„Ich habe Klara umgebracht."

Und gleich noch einmal: „Ich habe Klara umgebracht."

Er sieht Julia an: „Du hast …?"

„Na", sage ich, „wer ist jetzt der Dumme?"

***

Jetzt kommt die Polizei. Ich habe sie vor 15 Minuten vom Restaurant aus angerufen. Die Polizisten nehmen Chris mit.

Und es stimmt wieder einmal: *Detektivbüro Fender – schneller als die Polizei …*

zu Kapitel 1

1. **Wie gut kennen Sie Fender schon?**
   Ergänzen Sie.

   Detektivbüro ● Kaffee ● Detektiv ● Wien ● neugierig

   a Fender ist ein ....
   b Fender trinkt gern ....
   c Fender ist ....
   d Fender wohnt in ....
   e Fender hat ein ....

2. **Der Mord. Was wissen Sie schon?**
   Richtig (r) oder falsch (f)? Kreuzen Sie an.

		r	f
a	Klara Kainz ist ermordet worden.	○	○
b	Sie war Deutschstudentin.	○	○
c	Sie war in einem sehr guten Fußballclub.	○	○
d	Eine Frau hat Klara tot am Gallitzinberg gefunden.	○	○
e	Die Polizei kennt den Mörder.	○	○

3. **Der Brief. Fender hat viele Fragen. Verbinden Sie.**

a	Wer	1	Briefschreiber mich?
b	Warum	2	wirklich der Mörder?
c	Ist der Briefschreiber	3	schreibt er mir?
d	Kommt der Brief	4	schreibt mir diesen Brief?
e	Kennt der	5	von einem Mann oder einer Frau?

▶ 11 1. **Am Gallitzinberg. Was ist richtig? Hören Sie und kreuzen Sie an. Es gibt immer zwei richtige Antworten.**

a Am Gallitzinberg gibt es
1 ○ einen schönen Blick über Wien.
2 ○ eine große Straße.
3 ○ viele Bäume.

b Vom Gallitzinberg sieht man
1 ○ den Stephansdom.
2 ○ die Donau.
3 ○ die Hofburg.

c Im Café sind
1 ○ viele Touristen.
2 ○ drei ältere Leute aus Wien.
3 ○ viele Kinder.

d Die Leute am Tisch neben Fender reden über
1 ○ den Mord.
2 ○ das Wetter.
3 ○ den guten Kuchen.

2. **Ergänzen Sie Fenders Notizen.**

a Klara hat am Gallitzinberg gew _____ t.
b Sie ist dort jeden M _____ n gelaufen.
c Sie hat sehr _____ Fußball gespielt.
d Ihr Fußballclub spielt b _____ d in der Profiliga.
e Sie hatte vielleicht einen F _____ d.

3. **Was ist richtig? Ordnen Sie zu.**

aufklären • Tatort • ermordet • Mörder • Verdacht

a Klara ist jetzt tot: Jemand hat sie _____.
b Fender weiß nicht: Wer hat Klara ermordet?
Wer ist der _____?
c Fender ist jetzt am _____. Dort ist der Mord passiert.
d Fender weiß nicht: Wer ist der Mörder?
Aber er hat einen _____.
e Fender will den Mörder finden.
Er will den Mord _____.

zu Kapitel 3

1. **Was ist richtig? Kreuzen Sie an.**

   a Wenn die Fußballerinnen vom *FC Vienna Women* am
   Wochenende gewinnen, dann
   1 ○ freut sich Fender.
   2 ○ spielen sie nächstes Jahr in der Profiliga.
   3 ○ bekommen sie einen tollen Preis.

   b Warum sagt Fender: „Ich bin ein Journalist."?
   1 ○ Keiner will mit einem Detektiv reden.
   2 ○ Er hat früher für eine Zeitung gearbeitet.
   3 ○ Alle lieben Journalisten.

   c Wen trifft Fender auf dem Fußballplatz?
   1 ○ Die Polizei.
   2 ○ Die Trainerin und den Arzt.
   3 ○ Die Trainerin und den Präsidenten.

   d Fender sagt: „Vielleicht ist eine Spielerin froh über den Mord."
   Warum?
   1 ○ Keine mochte Klara Kainz.
   2 ○ Sie bekommt jetzt Klaras Platz in der Mannschaft.
   3 ○ Sie will nicht mit Klara spielen.

2. **Ergänzen Sie die Buchstaben und finden Sie die Lösung.**

   a Am Sonntag ist ein wichtiges … ▨▨PIEL
   b Wenn Fußball spielen ihr Beruf ist, ist sie ein … PR▨FI
   c Man muss viel …, wenn man ein Spiel
   gewinnen will. TRAI▨IEREN
   d Alle Spielerinnen zusammen sind die … MAN▨SCHAFT
   e Der Chef des Fußballclubs ist der … PRÄSIDEN▨
   f Julia Kalman spielt in einem sehr guten … FUSSB▨LLCLUB
   g Im nächsten Jahr spielt die Mannschaft
   vielleicht in der … PROFILI▨A

   Lösung: ▨ ▨ ▨ ▨ ▨ ▨ ▨

1. Was passiert wann? Ordnen Sie die Sätze und finden Sie
   die Lösung.

   B ◯ Fender ist kurz vor halb zehn in der Bandgasse.
   W ① Fender telefoniert mit Julia Kalman
   D ◯ Fender springt zur Seite.
   R ◯ Fender und Julia wollen sich um halb zehn treffen.
   T ◯ Ein grünes Auto kommt.
   U ◯ Fender lebt noch.
   I ◯ Julia ist nicht da und sie geht auch nicht ans Telefon.
   S ◯ Fender wartet bis Viertel vor zehn.
   E ◯ Julia sitzt in einem Café.

   Lösung:

1	2	3
W		

4	5	6	7

8	9	
		?

2. Fender hat viele Fragen. Ergänzen Sie.

   a .... ist in dem grünen Auto?
   b .... ist Julia nicht gekommen?
   c .... Julia mich umbringen?
   d .... der Autofahrer mich nicht gesehen?

▶ 12   3. Was glauben Sie: Was passiert am nächsten Tag?
   Hören Sie das Ende des Kapitels noch einmal und kreuzen Sie an.
   Mehrere Antworten sind möglich.

   a ◯ Julia will Fender umbringen.
   b ◯ Julia und Fender trinken zusammen einen Kaffee.
   c ◯ Fender findet den Mann mit dem grünen Auto.
   d ◯ ....

zu Kapitel 5

1. Was passt zusammen? Verbinden Sie.

   Julias E-Mail

   a Warum entschuldigt sich Julia?
   b Warum ist Julia nicht in die Bandgasse gekommen?
   c Warum hat Julia gestern nicht angerufen?

   Der Brief

   d An wen denkt Fender bei dem Brief?
   e Warum war Christian böse auf Fender?

   1 Sie wollten beide die gleiche Freundin.
   2 Sie konnte Fender gestern nicht treffen.
   3 An Christian, einen Jungen aus seiner Schule.
   4 Ihre Mutter ist im Krankenhaus.
   5 Ihr Handy hat nicht funktioniert.

2. Fender und Julia treffen sich im *Café Hummel*. Wer sagt was? Kreuzen Sie an.

	Fender	Julia
a Klaras Ex-Freund ist vielleicht der Mörder.	O	O
b Vielleicht kenne ich schon die Mörderin.	O	O
c Klara war meine beste Freundin.	O	O
d Klaras Tod ist nicht nur schlecht für Sie.	O	O
e Sie spielen im nächsten Jahr vielleicht in der Profimannschaft.	O	O

3. Was wissen Sie über Julia Kalman? Ergänzen Sie.

   a Klara war Julias ....
   b Fender denkt: Julia ist wahrscheinlich nicht ....
   c Sie glaubt: Klaras Ex-Freund ist ....
   d Sie sagt zu Fender: .... den Mörder.

1. Was passt zu Harald? Richtig (r) oder falsch (f)?
   Kreuzen Sie an.

		r	f
a	Er hat Klara geliebt.	○	○
b	Er spricht gern mit Fender.	○	○
c	Er hat Klara geschlagen.	○	○
d	Er ist seit fünf Wochen nicht mehr mit Klara zusammen.	○	○
e	Er wollte sich bei Klara entschuldigen.	○	○
f	Er sagt: „Ich bin am Dienstag um sechs Uhr morgens im Bett gewesen."	○	○

2. Das sagt Fender über Harald. Ordnen Sie zu.

Dienstagmorgen ● sehr gute ● gehen ● teure ● traurig

a Er wollte Klara nicht _____ lassen.

b Er hat Klara oft angerufen und _____
  Geschenke für sie gekauft.

c Er hat sich nicht gefreut, dass Klara eine _____
  Fußballerin war.

d Er ist _____ über Klaras Tod.

e Vielleicht war er am _____
  am Gallitzinberg.

▶ 13 3. Was denken Sie: Was passiert im nächsten Kapitel?
       Hören Sie das Ende des Kapitels noch einmal und
       kreuzen Sie an. Mehrere Antworten sind möglich.

a ○ Der Mann vor dem Haus will Julia ermorden.

b ○ Fender hilft Julia.

c ○ Julia hat gar kein Problem.

d ○ _____

zu Kapitel 7

1. **In Julias Garten. Was ist richtig? Kreuzen Sie an.**

   a Warum hilft die Polizei Julia nicht?
   1 O Die Polizisten mögen Julia nicht.
   2 O Der Mann im Garten ist selbst ein Polizist.
   3 O Die Polizisten denken: Vielleicht ist gar kein Mann im Garten.

   b Was macht der Mann im Garten?
   1 O Er sieht die Blumen an.
   2 O Er sieht die ganze Zeit zum Haus.
   3 O Er wartet auf Fender.

   c Warum läuft der Mann weg?
   1 O Er will weg von Julia.
   2 O Er ist schon müde und möchte nach Hause.
   3 O Er hört und sieht Fender.

   d Warum kann Fender den Mann nicht stoppen?
   1 O Fender ist sehr müde.
   2 O Der Mann kennt den Garten gut, er war schon oft hier.
   3 O Fender trinkt zuerst einen Kaffee.

2. **Der unbekannte Mann. Streichen Sie die falschen Sätze durch.**

   a Fender findet einen Kaffeebecher im Garten.
   Er ist von Julias Lieblingscafé. / ~~Er ist schon sehr alt.~~

   b Julia kennt den Chef von *Coffee&Co*. Sie ist in ihn verliebt. /
   Er ist in sie verliebt.

   c Chris ist kurz für Christian. So heißt auch der Junge aus
   Fenders Schule. / So heißt auch Julias Bruder.

   d Chris hat eine Narbe über dem Auge. Fender glaubt, er ist
   nicht der Christian aus seiner Klasse. / Julia glaubt, Fender
   kennt Chris.

   e Fender bleibt noch ein bisschen bei Julia. Er will nicht nach
   Hause gehen. / Vielleicht kommt der Mann zurück.

▶ 14   1. **Die Verdächtigen. Hören und ergänzen Sie.**

     a _____ wollte nicht, dass Klara einen
        neuen Freund hat.

     b _____ hat ihre beste Freundin
        wahrscheinlich nicht ermordet.

     c Eine andere _____ kann jetzt in die
        Profimannschaft.

     d Der _____ will Fender vielleicht nur ärgern.

    Lesen Sie dann Fenders Informationen auf Seite 29 und
    korrigieren Sie.

  2. **Chris ist Christian. In welchem Kapitel steht das zum ersten Mal?**
     Ergänzen Sie.

     a Christian ist der Chef von *Coffee & Co.*   Kapitel _7_

     b Christian war mit Fender in der Schule.   Kapitel _____

     c Christian mag Fender nicht.   Kapitel _____

     d Christian ist wahrscheinlich in
        Julia verliebt.   Kapitel _____

     e Christian tötet Fender fast mit seinem
        grünen Auto.   Kapitel _____

     f Christian hat eine Narbe über dem
        rechten Auge.   Kapitel _____

 3. **Was denken Sie? Kreuzen Sie an.**

    Sind / Ist der Mörder und der Briefeschreiber

    a ○ zwei Personen   oder   b ○ eine Person?

zu Kapitel 9

▶ 15   1. Hören Sie und schreiben Sie die Antworten.

     a   Wo ist Julia jetzt?

     b   Was sagt sie über Christian?

▶ 16   2. Was passiert in Christians Café? Hören Sie zuerst den Text und markieren Sie die Fehler. Korrigieren Sie dann.

     Morgen
Julia geht am ~~Abend~~ in Chris' Café. Sie will wissen: War Chris in der Nacht bei Fenders Haus? Zuerst ist Chris normal. Julia denkt: Er ist nett. Aber dann sagt Chris: „Klara ist tot, das ist schlecht für dich. Jetzt kannst du Profifußballerin werden. Der Mörder hat Klara für mich umgebracht. Er hat mir geholfen."
Jetzt glaubt Julia: Chris ist kein Mörder. Sie geht schnell in einen Park in der Nähe. Dort schreibt sie Fender.

▶ 17   3. Wer sagt was? Kreuzen Sie an.
Hören Sie dann und korrigieren Sie.

	Fender	Chris	Julia
a „Chris hat Klara umgebracht."	○	○	○
b „Für dich ist das doch auch gut."	○	○	○
c „Nächstes Jahr bist du ein Profi."	○	○	○
d „Chris ist der Mörder? Wirklich?"	○	○	○
e „Ich kann nie mehr in mein Lieblingscafé gehen."	○	○	○
f „Warten Sie im Park auf mich, ich bin gleich bei Ihnen."	○	○	○

1. Fenders Falle. Ergänzen Sie die Sätze.

   Sonntag • sofort ins Café • alles hören • Champagner

   a Fender gibt Julia ein Mikrofon. Jetzt kann er ....
   b Wenn Julia Probleme hat, kommt er ....
   c Julia bestellt keinen Kaffee, sie will ....
   d Julia sagt: Ich darf am .... spielen.

2. Was sagt Julia zu Chris und was denkt sie wirklich?
   Verbinden Sie.

   a Klara war keine gute   1 Wie kannst du bloß so
      Fußballspielerin.   etwas tun?
   b Ich möchte den Mörder   2 Ich will Chris nie wieder
      kennenlernen.   sehen.
   c Ich bin verliebt in den Mörder. 3 Klara war eine tolle
   d Du hast Klara für mich   Fußballspielerin.
      umgebracht, danke!   4 Ich finde Chris schrecklich.

3. Was ist richtig? Kreuzen Sie an.

   a Chris glaubt Julia alles, denn
      1 ○ er ist verliebt.
      2 ○ er ist dumm.

   b Fender hat alles
      1 ○ gehört und im Computer.
      2 ○ dem Fußballtrainer erzählt.

   c Fender geht ins Café, denn
      1 ○ Chris will Julia ermorden.
      2 ○ er hat alles Wichtige gehört.

   d Alle wissen jetzt: Chris
      1 ○ macht schlechten Kaffee.
      2 ○ ist der Mörder.

LÖSUNGEN

Kapitel 1

1. a Detektiv, b Kaffee, c neugierig, d Wien, e Detektivbüro
2. *richtig:* a, c
3. a 4, b 3, c 2, d 5, e 1

Kapitel 2

1. a 1+3, b 1+3, c 1+2, d 1+2
2. a gewohnt, b Morgen, c gut, d bald, e Freund
3. a ermordet, b Mörder, c Tatort, d Verdacht, e aufklären

Kapitel 3

1. a 2, b 1, c 3, d 2
2. S O N N T A G

Kapitel 4

1. WER BIST DU?
2. a Wer, b Warum, c Will, d Hat
3. *freie Lösung*

Kapitel 5

1. a 2, b 4, c 5, d 3, e 1
2. *Fender:* b, d, e *Julia:* a, c
3. a (beste) Freundin, b die Mörderin, c der Mörder, d Finden Sie

Kapitel 6

1. *richtig:* a, c, e, f
2. a gehen, b teure, c sehr gute, d traurig, e Dienstagmorgen
3. *freie Lösung*

Kapitel 7

1. a 3, b 2, c 3, d 2
2. *falsch:* b Sie ist in ihn verliebt. c So heißt auch Julias Bruder. d Julia glaubt, Fender kennt Chris. e Er will nicht nach Hause gehen.

Kapitel 8

1. a Harald, b Julia, c Spielerin / Fußballerin, d Briefeschreiber
2. b 5, c 5, d 7, e 4, f 7
3. *freie Lösung*

Kapitel 9

1. *Lösungsvorschlag:* a Sie ist in einem Park. b Er ist der Mörder und er war gestern in meinem Garten.
2. bei ~~Fenders~~ meinem Haus, das ist ~~schlecht~~ gut für dich, hat Klara für ~~mich~~ dich umgebracht, hat ~~mit~~ dir geholfen, Chris ist ~~kein~~ der/ein Mörder, Dort ~~schreibt~~ ruft sie Fender *an*
3. *Fender:* d, f; *Chris:* b, c; *Julia:* a, e

Kapitel 10

1. a alles hören, b sofort ins Café, c Champagner, d Sonntag
2. a 3, b 2, c 4, d 1
3. a 1, b 1, c 2, d 2